JN225838

ツクルとひみつの改造ボット

かいぞう

3

辻 貴司 作

TAKA 絵

岩崎書店

もくじ

001 プロローグ

「やあ、ツクル。今朝はねむそうだね」

ツクルがマンションのエレベーターに乗ろうとすると、からっぽの中から声をかけられた。

「おはよう、ペーター」

ツクルも、だれも乗っていないエレベーターにむかってあいさつをする。

「ふとんが気持ちよくって、

寝坊しちゃった。いつもより速く下りられる？　いそがないとちこくしそうなんだよ」

　すると、ペーターが、「うほん」と、ひとつせきばらいをした。

「乗ったあとで悪いんだが、ツクルにひとつお知らせがあるんだ」

「なに？　もしかしてコーディーの情報？」

　ツクルがいきおいこんでたずねると、ペーターは、「いや……」とすこし口ごもってからいった。

「このエレベーター、上の階行きだ」

ツクルの住む町には、なぞのエンジニアが住んでいる。

名前は、コーディー。

ちっぽけなこの町で、キカイをしゃべれるように改造しているんだ。

改造ボット！

ツクルは、しゃべるキカイたちのことを、そう呼んでいる。

コーディーは、この町をいい町にするために改造ボットを作り、改造ボットたちはこの町の平和を守っているんだ。

このことを知っているのは、改造ボットに出会った人だけ。しかも、だれにもいわないよう口止めされるから、うわさはほとんど広まっていないみたいだ。

かくいうツクルも、改造ボットに出会って、口止めされたひとり。ツクルの住むマンションのエレベーターが、ペーターという名前の改造ボットだったんだ。

悪いスーツ男を協力してつかまえてから、友だちのように仲良くなった。

「どうして、乗る前にいってくれないの？　階段で行けば、今ごろ一階についてたのに……」

ツクルは、ほおをふくらませておこった。

「すまない。ついツクルがまってたから乗せてしまった。まさか、ちこ

くしそうだとは思わなかったんだ」

「もう、ちこくしたらペーターのせいだからね。責任とってもらう……から……」

ツクルが文句をいっている途中で、目的の階に到着したらしく、すっとエレベーターのとびらが開いた。

「あれ？　ツクル？」

立っていたのは、おさななじみでクラスメイトのナナミだった。

「ナナミ？　めずらしいね。この時間だとちこくだよ」

ツクルが意外そうな顔をする。

「そんなことより、今、だれかと話してたでしょ？　だれと話してたの？」

えっ……！

ツクルの心臓がどくんとはねる。ペーターが改造ボットなのは、ナナミも知らない。教えちゃいけない、ペーターとの約束なんだ。

あわてて、「だれもいないよ。ひとり言だよ」と、しらばっくれた。

「わざわざ上の階行きのエレベーターに乗って、ひとり言をいってたの？」

「……そうそう」

「あやし――い」

ナナミにじろじろ見られて、ツクルはじわりといやな汗をかいた。

すると、「あれっ？」と、ナナミが行き先ボタンを見て、びっくりしたように声をあげた。

「このエレベーター、まだ一階のボタンおしてないのに、勝手に下りてるよ」

それを聞いて、ツクルはどきっとした。

まずいよ、ペーター。勝手に下りちゃ。ナナミはまだペーターが改造ボットだって知らないんだから……。

すると、あわてたように一階のボタンが黄色く光った。

あっ、バカ。おしてないのに、光らせちゃダメだよ。

するど、ナナミが目を大きく見開いた。

「ツクル、見た？　ボタンが勝手に光ったよ。あたしたちの会話を聞いてたみたいじゃない？」

「さ、さあ……。きっと、ＬＥＤの調子が悪いんだよ」

ツクルがせいいっぱいごまかしたけれど、ナナミは聞いてなかったようだ。うでを組みながら考えこんでいたナナミが、とつぜん顔を上げた。

「そういえば、このあいだ、スーツ男をつかまえたとき、エレベーターからおかしな声が聞こえなかった？」

「本部の人でしょ？　どうしましたか、って聞いてくれたじゃん」

「そうじゃなくて……。そのとき、もうひとり声がした気がするの」

「そうだっけ？　気がつかなかったけどなあ……」

まったく。ナナミの勘の良さにはおどろかされる。

ちょうど、タイミングよく一階についた。

ツクルは、ナナミのランドセルをおしながら、エレベーターの外へ飛びだした。

「さあ、ちこくする。走るよ！」

ツクルはにげるように学校にむかった。

口の悪いATM

ナナミの話

「チャージしてくるから、改札の近くでまっててね」

そういって、ママが切符売り場にむかった。小さな駅のふたつしかない券売機のひとつが故障中らしく、めずらしく十人ほどの行列ができている。

「けっこう、時間かかりそう」

そばに銀行のＡＴＭのボックスがある。ナナミはボックスの壁にもたれてまった。

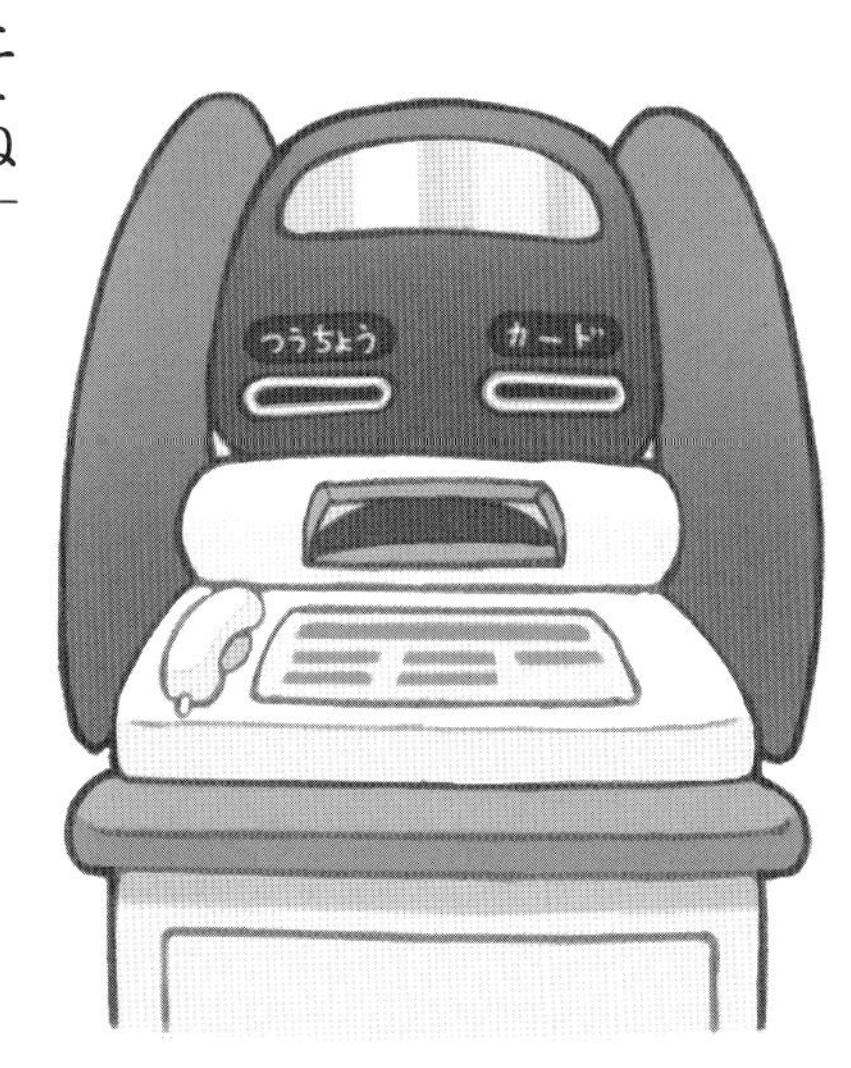

すると、すぐ近くで大きく息をはく音が聞こえた。ナナミが顔をむけると、通帳とカードを手にもったおばあさんが息をきらせている。あわてて、走ってきたみたいだ。

「あなた、ならんでいるの？」

「いえ、ちがいます。どうぞ」

ナナミは、しまったと思った。自分がＡＴＭの入口をふさいでいることに気づいて、あわてて道をあける。

「ありがとうね」

おばあさんはそそくさと中へ入っていき、ピッピッとタッチパネルを操作する音が聞こえてきた。

ところが、一分もたたないうちにガチャッとガラスのドアが開いて、おばあさんが顔をつきだした。

「あなた、ちょっと来てちょうだい。早く」

「あたしですか？」

どうしよう。

ちらりとママのほうを見ると、まだ列の真ん中くらいだ。

「どうしたんですか？」

ナナミが中に入っていくと、おばあさんが、人さし指を立てて、しーっといいながら、耳をそばだてた。

「声が聞こえるの」

それを聞いて、ナナミは「ああ」と声をもらした。

「だいじょうぶですよ、おばあさん。最近のキカイはかしこいから、音声で案内したりするんです」

「ちがうのよ。ふつうのは、カードを入れてください、とか、お金を入れてください、とかいうでしょ？」

「はい」

「でも、ちょっと聞いてみて」

おばあさんとふたり、耳をすませると、男の人の声でＡＴＭのアナウンスが聞こえてきた。

『詐欺のうたがいがあります。息子さんに、まず電話してください』

「ほんとだ！」

ナナミはびっくりした。

なにこれ、こんなことふつういわないよね。それに、なによりおどろいたのは……。

「どうして、おばあさんに息子さんがいるって知ってるんですか？」

そんなの、ＡＴＭがわかるはずないのに。

「さっき、いろいろ聞かれたのよ。なんのためのお金ですか？　とか」

「なんて、答えたんですか？」

「だから、息子が会社のお金を落としてしまったから貸してほしいって電話があったの。必要なお金なのよ」

「えっ！」

それって、本当に詐欺なんじゃない？

ニュースでよくやってるのと、そっくりだ。こんな小さな町で、詐欺事件なんて……。

つうちょう
カード
詐欺のうたがいが
BABAR

「早く、お金をもっていかないと、息子が会社をクビになっちゃう。それなのに、お金を下ろさせてくれないのよ」

おばあさんが、困ったようすでいった。

『もう、わからず屋ですねえ。詐欺のうたがいがあるっていってるんです』

ATMは、イライラしているようだ。

『てか、詐欺確定です。こんな古い手に引っかかる人がまだいるんですね。こっちがびっくりですよ。早く、息子さんに電話してください。じゃなきゃ、息子さんにあとでおこられますよ』

ATMは、さっきより長文を話すようになっている。しかも、口が悪くなってる。

「なによ、このポンコツＡＴＭ。わたしのお金を下ろさせないなんて、うったえてやるわ！」

おばあさんが、完全に間違った方向におこり始めた。

『わたしはポンコツじゃない。トムっていう、立派な名前だってあるんだ！』

すごい。ＡＴＭが名乗ってる……って、おどろいてる場合じゃなかった。このままじゃ、ダメだ。なんとかしなきゃ。

「おばあさん、ちょっとまってて。おまわりさん、呼んでくるから！」

ナナミは、チャージを終えてもどってきたママに、「ちょっとまってて！」と一声かけると、駅のはじっこに建つ交番へ走った。

「やあ、ナナミちゃん、あわててどうしたんだい？」

交番につくと、フジモトさんがやさしく声をかけてくれた。いつもなら気持ちが落ち着く声なんだけど、今日はもうすこしビシッとしていてほしい。だって、すぐそこで事件が起きてるんだから。

ナナミがATMにいたおばあさんの話をすると、フジモトさんはみるみる表情をけわしくして、「それは、大変だ！」と、太ったおなかをゆらして走りだした。

ナナミもそのあとに続く。

おばあさんは、おろおろしながらATMの外でまっていたが、フジモトさんが走ってくるのを見つけて、「あっ、おまわりさん！」と、うれしそうな顔をした。

「お金が必要なんですけど、このATMがお金を下ろさせてくれないの」

　さっそく、おばあさんがフジモトさんにうったえた。

「息子さんから電話があったと聞いたんですが……」

「そうなの。お金がいるのに、このATMがおかしくなって困ってるの。わたしが詐欺に引っかかってるっていうのよ。だから、息子に電話しろって」

「このATMが、そういったんですか？」

　まだ、なにか聞こうとするフジモトさんをさえぎって、ナナミが「しっ！」と、人差し指を立てる。

『詐欺のうたがいがあります。警察にご連絡ください』

さっきとは、打って変わって、まじめなアナウンスだ。

このトムっていうＡＴＭ、人を見てる。どういう仕組みなんだろう。銀行の人がカメラで見てるのかな？　ナナミはふしぎでしかたなかった。

アナウンスを聞いたフジモトさんは、「なるほど」とうなずいた。シンプルな内容だから、もともと登録されたアナウンスだと思ったのかもしれない。

おばあさんからもひとしきり話を聞くと、フジモトさんが真剣な表情でいった。

「たしかに、このＡＴＭがいうように、詐欺の可能性が高いですね。交番に行って、息子さんに電話をしてみましょう」

フジモトさんに説得されて、おばあさんはしぶしぶ交番へむかった。

「ナナミ、えらかったね」

ようすを見ていたママが、ぜんぶわかったようにナナミの肩をぽんとひとつたたいた。

「えへへ」

ほめられて、ナナミも悪い気はしない。

すると、ＡＴＭのボックスの中から、『ふう』と、大きなため息が聞こえた。

ナナミがふりかえると、『……まったく、あのおばあさん、文句しかいわなかったな。いい歳こいて、お礼のひとつもいえないでさ』とぶつくさいいながら、ＡＴＭのパネルが消灯した。

002 そんなのいやだ！

「んー、改善の余地ありだね」

ツクルは、新しく発明したぼうしをぬいだ。

つばにソーラーパネルをとりつけて、発電した電気でＬＥＤを光らせるようにしたんだけど、公園で走っていたら部品がもげちゃったんだ。

「帰りが遅くなったとき、役に立つと思ったんだけどなあ」

帰りまでもたないとは想定外。結局、いっしょに遊んでいただれよりも早く帰ってくることになってしまった。振動にたえられるよう、固定の方法を考えなきゃ。

消火器

「ツクル、大変！」

マンションのエントランスに入るなり、ナナミがかけよってきた。その必死なようすに、ツクルはすこし身がまえる。

「なに？　どうしたの？」

またペーターのことを聞かれるのかと、びくびくしていたら、新しい情報だった。

「このあいだ、しゃべるＡＴＭに会ったんだけど……」

「いらっしゃいませ、とかじゃなくて？」

ツクルは、しゃべる、という言葉にちょっぴりビクッとしながら、反射的に答えた。

「当たり前じゃん。そんなことで、わざわざツクルをまったりしないって」

ナナミがくちびるをとがらせている。

「ごめん……」

とっさにツクルはあやまった。ナナミが気を悪くして、大変なことを教えてくれなかったら、それこそ大変だ。

「じつはね……」

そういってナナミが話しはじめたのは、まぎれもなく改造ボットの情報だった。

駅前の銀行のＡＴＭがしゃべりだして、おばあさんが詐欺にあうのを救ったらしい。

カードなんてもってないから、ＡＴＭなんて行ったことなかった。今度、行かなきゃ。

「交番のフジモトさんが捜査してくれて、詐欺の犯人がつかまったんだけど……」

すごいじゃん。フジモトさん、お手柄だ。聞いたところなにも問題はなさそう……というか、いいことばかりな気がする。

「なにが大変なの？」

ツクルがふしぎに思って聞いた。

「それがね、ママがATMを調べはじめちゃったんだ。銀行のATMをだれかが勝手に改造したんじゃないかって。だとしたら、大問題だって」

「えっ！　どうしてそうなるの？　ATMのおかげで、詐欺の犯人がつかまったんじゃないの？」

コーディーは、この町が平和になるために、改造ボットを作っているのに……。悪者あつかいは、ひどいよ。

「そうだけど、いろんな個人情報をあつかうＡＴＭが勝手に改造されてたらやばくない？」

「まあ、そうだけど……」

「ママ、今日は銀行にＡＴＭのことを聞きにいくっていってた」

やばいよ。改造ボットのことが世の中にバレちゃう……。

なんてったって、ナナミのママは市議会議員なんだ。町のみんなから一目置かれているし、警察やいろんな会社にも知り合いが多くて、ネットワークがすごすぎるんだ。

騒ぎになったら、コーディーは改造ボットを作ることをやめちゃうかもしれない……。

ツクルがいろいろ考えていると、ナナミが、「ふふっ」と笑った。

見ると、ツクルの頭の中を見すかしたような笑みを浮かべている。

「ツクルはやっぱりしゃべるキカイと友だちなんだね」

「なっ……！」

「かくしてもダメだよ。あたしが聞いた声は、やっぱりエレベーターの声だったんだ」

「……いや、あの……」

ダメだ。バレてる。ナナミには、もうなにをいってもごまかせないみたいだ……。

LET'S ♪ ENJOY
GIRLS

「あっ、ママ、おかえりなさい！」

タイミングよく、ナナミのママが帰ってきた。仕事用のグレーのスーツがきまってる。

ツクルは、こわれたぼうしをあわててリュックにしまった。

「あら、ただいま。ツクルくんも、こんにちは」

いつも通り、完璧な笑顔であいさつをしてくれた。

「どうだった？」と、さっそくナナミが聞いた。

まさか、ナナミが告げ口したりしないよね。心配になってきた。

「んー、改造のことはわからなかったなー。銀行の人も話をしているＡＴＭなんて、見たことないって。うそついてる感じでもなかったしね」

よかった。これ以上、ＡＴＭがしゃべらなければ、改造ボットだってこともバレずにすむかもしれない。

ところが、ナナミのママが、びっくりすることをいった。

「しばらく使用停止にしてもらったんだ。それで、今度のメンテナンスのときに、ＡＴＭの中を調べてもらえることになったの。すこしはなにかわかるかもね」

大変だ。そんなことしたら、改造がバレちゃう。コーディーがどうやって改造ボットを作っているのかわからないけど、なんにもしてないってことはないと思う。

「……あの、もし、だれかが改造してたとしたら、その人は……どうなっちゃうんですか？」

ツクルがおそるおそるたずねると、そのようすを見て、ナナミのママが、「あらっ?」といった。

「もしかして、ツクルくんは、だれが改造したのか、心当たりがあるのかな?」

ナナミのママの大きな目にのぞきこまれて、思わずツクルは目をそらした。

「……いや、なんにも」

ナナミもナナミのママも勘（かん）がよすぎるよ。

「なにか知（し）っていることがあったら、教（おし）えてね」

そういい残（のこ）して、ナナミのママは、エレベーターで上（あ）がっていった。

コーディーは、いいことをしているのに……。

ツクルはくやしくて、両手（りょうて）をぎゅっとにぎった。

でも、こっそり改造しているのは本当だから、問題になるかもしれない。

エレベーターホールで話していたから、全部、ペーターにも聞こえていたはず。きっと、改造ボットみんなに連絡が行くんだろう。もう、しゃべらないように、って。

もちろん、コーディーにも伝わるはず。

そうなったら、もう、コーディーは改造ボットを作らないかもしれない。

そんなのいやだ！

屋上のホーン

ジュンとケイスケの話

「うわー、すごい景色！」

マンションの屋上にでるなり、ケイスケが走りだした。

「おい、あんまりはじっこまで行くなよ。あぶないから」

「だいじょうぶだよ。柵あるもん」

ジュンの忠告も聞かずに、ケイスケが自分の背よりも高い柵につかまりながら、遠くを見てはしゃいでいる。

「ほら、にいちゃん、見て！　小学校も見える。まだ、けっこう残って

遊んでるよ」

「ほんとだ。きっと、五時のチャイムぎりぎりまで遊ぶんだろ。それにしても、学校のむこうって、畑ばっかりなんだな」

「ね。川ぞいは田んぼだし」

「おれたち、思ってたよりも田舎に住んでるんだな」

「ね」

ジュンとケイスケは、ふたりならんで屋上からのけしきをながめた。

自分たちの住むマンションの屋上に、まさかでられるとは思わなかった。

もともとはケイスケの悪ふざけだった。鍵が閉まっていると思って回したドアノブが、あっさり開いたんだ。

「空って広いんだな」

ジュンは屋上に寝っころがった。

屋上から見る空は、建物も電線もない、太陽と雲だけの空。ときどき飛行機や鳥は通るけど、それは空の一部だ。

気分がいい。

なんだか、空にすいこまれそうだ。

「ぼくも寝よ」

ケイスケも、ジュンのとなりで横になる。

「あの雲、クジラみたい」

と、さっそくケイスケが指をさした。ほんとだ。シロナガスクジラくらい大きな雲がぐんぐん泳いでくる。

「あっちのでかい灰色のは、二頭のゴリラが両手をふり上げて、けんかしてるみたいだな」

今度はジュンがつぶやくと、

「ちがうよ。ばんざいしてるだけだよ」

と、すかさずケイスケがきっぱりといった。

「ああ、そうだなあ……」

たしかに、そうも見える。じゃあ、仲良しのほうがいいな。

そう思っていると、となりから、すーすーと寝息が聞こえてきた。

ケイスケのやつ寝ちゃったか。

……と、ジュンも目がとろんとしてきた。

あ、寝そう。

ところが、どこからか、のんびりした男の人の声が聞こえてきて、昼寝をじゃまされた。

「おーい。兄貴まで、寝るなよー。早く、でていけー」

ジュンは飛び起きた。

きっと、自分のことをいってるんだ。

「だれだ？」

「……」

返事がない。空耳だったか？　いや、あんなにゆっくりなおじさんの声、聞きまちがうはずがないし……。

まさか、屋上にだれかいる？

ジュンは、無意識にそばにあった灰色の細長いパイプを手にとり、身がまえた。

「おいおいー。あぶないこと、するなよー」

　この休み休みでのんびりした口調と、まわりに反響する感じ。聞いたことがあるんだけど……思いだせない。どこで聞いたんだっけ？

　ジュンがパイプを手に考えていると、「しかたがないなあ……」と、また声がした。

　その声は、「えへんっ」とせきばらいをすると、のんびりした口調で話しはじめた。

「市役所からのー、お知らせですー。台風のー、接近によりー」

「あっ、そっか。防災無線！」

　屋上を見わたすと、中央にそびえ立つ大きな四つのスピーカーを見つけた。

ジュンが近づくと、「やあ」と声がかかった。

やっぱりだ。スピーカーから声がでてる。

「だれがしゃべってるんですか？　市役所の人ですか？」

「いやー」

「警察の人ですか？」

「いや、わたしは、わたしだー」

なにいってるんだろう。「わたしだー」っていわれても……。そこまで考えて、ふと自分でもバカバカしい考えがうかんだ。

「もしかして、スピーカーが自分でしゃべってますか？」

まさかね。

するとスピーカーから、うれしそうに返事があった。

「あたりー。わたしは、防災無線のー、ホーンですー」

まじかよ。

でも、本人がそういってる。ジュンは、おどろくと同時に興味がわいた。

「……ってことは、いつもの放送はホーンがしゃべってるってこと？　話す内容は？　まさか、ホーンが気まぐれでしゃべってるんじゃ……」

「いやー、ちがっ……」

「ときどき、女の人の声のときもあるけど、あれはホーンが声を変えてるってこと？　二種類の音声が登録されてるとか？」

「いやー、あのっ……」

「防災無線って、みんなホーンみたいに名前があるのか？　それとも、ホーンだけ？　さすがにホーンだけか。みんな勝手にしゃべりだしたら大変だもんな」

ジュンが楽しそうに話し続けていると、

「わたしにもー！」

と、とつぜんスピーカーの音量が上がった。

「わたしにもー、話を、させてくださいー」

ホーンの悲痛な叫びだった。

「ごめん」

そっか。ホーンははやくしゃべれないんだ。悪いことした……。

「いつもはー、市役所の、人がー、放送します。わたしがー、しゃべるのは、大事なときだけ……ん？　おやおや、たった今、わたしたちー、しゃべるの禁止、になった、ようですー」

わたしたち？

ジュンはふしぎに思った。ホーンはひとりじゃないのか？　スピーカーが四つついてるから四人？　いや、それなら四人が別々に話をするはず。

それに、たった今、ってどういうことだ？

そのことを聞こうとしたら、ホーンがしゃべりだした。

「でも、緊急事態なのでー、無視ですー」

えっ、無視するのか？　なんで？

「うしろの空をー、ごらんくださいー」

いわれた通り、さっきまで見ていた学校側とは反対の空に目をやると、真っ黒な雲が近くの川までせまってきていた。

「なんだありゃ」

「ゲリラ豪雨が、近づいて、いますー」

みるみるうちに黒雲が近づいてくる。

ごろごろと雷の音が聞こえたかと思うと、黒雲の中を龍のように稲光が走った。

「雨も、雷も、危険ですー」

ホーンが緊張感のある声でいった。

でも、とジュンは思った。

「このマンション、避雷針があるから、雷が落ちても安心って、母さんがいってた」

屋上の一番高い場所に、とがった金属の棒が空にむかって立っている。きっと、あれだ。

「避雷針はー、地面に、安全に、電気を流しますー」

ほら、やっぱり。

「でも、雨で、ぬれているとー、そっちにも電気が、流れてしまいますー」

ん？

「ってことは、屋上が雨にぬれたら、

ここにも雷の電気が流れてくるのか？」

「正解、ですー」

やばいじゃん。

避雷針があるせいで、ここはほかの場所より雷が落ちやすくなってるはず。雨をつたって電気がきたら、ふたりとも感電する。

そうか。一大事だから、ホーンはしゃべるのを禁止されてるにもかかわらず、話しかけてくれたんだ。

「にいちゃん、どうしたの？」

ようやくケイスケが起きてきた。いつもいってるのに、目をごしごしこすってる。目が悪くなるぞ。

「目をこするな。早く帰るぞ、ゲリラ豪雨が来る」

「ゴリラごううってなに？　ゴリラがふってくるの？」

「うるさい、行くぞ！」

早く建物の中に入らないと。

ジュンは、ケイスケの手をつかんで、走りだした。

「ホーン、ありがとう！」

屋上のドアを閉めるとき、ジュンは大声でお礼をいった。

ふたりが建物の中に入るのとほとんど同時に、緊迫した声で本格的な放送がなりはじめた。

「防災、情報ですー。発達した、雨雲が、近づいていますー。大雨と、落雷に、ご注意くださいー。がんじょうな、建物の中に、避難してくださいー。地下にいる方は、地上へ、移動してくださいー。くりかえします……」

その声を聞いて、ジュンは気づいた。

あれは、きっと市役所の人の放送じゃない。ホーンが、自分の声のとどく範囲の人たちに、注意を呼びかけているんだ。

「ありがとう」

と、ジュンはもう一度お礼を口にした。

マンションの部屋にもどるころには、ぽつりぽつりと雨が降りはじめ、あっという間に大雨になった。部屋の中は電気をつけないと真っ暗。窓の外は、雨のカーテンがかかったように、景色が見えなくなっている。

「危機一髪だったたね」

ケイスケがうれしそうにとびはねた。

そのとたん、バリバリバリバーン、という耳をつんざくような音がして、部屋の電気が一瞬消えた。

雷が落ちた……。

あのままふたりで寝てたら、今の落雷で死んでたかもしれない。ジュンは、背筋がぞくっとした。

「おなかすいた。おやつ食べようよ」

ケイスケにせがまれて時計を見ると、もう五時を過ぎていた。

あらら……。

「ホーンのやつ、五時のチャイム、ならし忘れたな」

003 雨のち晴れ！

とつぜん、あたりが暗くなった。

「あれ？　今まで、いい天気だったのに……」

ナナミがマンションの入口のほうを見ながらふしぎそうな顔をする。

すると、緊迫した声で、近くの防災無線から放送がはじまった。

「防災、情報ですー。発達した、雨雲が、近づいていますー。大雨と、落雷に、ご注意くださいー。がんじょうな、建物の中に……」

おっ、早い。ほぼリアルタイムだ。

ツクルは、タイミングのよさにおどろいた。

気のせいか、今回の放送はあまり声が反響していなくて、聞きやすい。ずいぶん切迫しているらしく、なんどもおなじ放送をくりかえしてる。

放送を聞いたマンションの人たちが、次々にエレベーターホールに飛びこんでくる。ベビーカーをおしたママさんが、「降られる前に帰れてよかったー」といって、大きく息をはいた。

そんなに切羽つまってるの？

ツクルとナナミは入口に近づいて、エレベーターホールからガラスごしに空を見上げた。すると、真っ黒な雨雲がみるみるうちにせまってくる。

「これは、やばいよ……」

ツクルがうめいた。

すると、次の瞬間、ぽつりぽつりと雨が降りはじめ、一気に大雨になった。地面にたたきつけられた雨つぶが、バチバチと大きな音を立てている。駐車場にとめてある車のガラスがわれるんじゃないか、と心配になるくらい。

バケツをひっくり返したような雨って、だれが考えたんだろう。ぴったりだ。

と、思った瞬間、あたりが真っ白に光った。

バリバリバリバリバーン！

光のすぐあと、耳をつんざくような音がひびいて、一瞬、エレベーターホールの電気が消えた。

まちがいない。雷がこのマンションに落ちたんだ。

「びっくりしたあ」

ナナミが顔じゅうのパーツを見開いて、ツクルを見た。

「ぜったい、このマンションに落ちたよね」

ツクルもおなじような顔で返事をした。

あの放送がなかったら、たくさんの人が雨でずぶぬれになっただろう。

きっと助かった人がたくさんいたはずだ。

エレベーターのとびらが開いた。

「ナナミ！　あぶないから、うちに入りなさい」

ナナミのママだ。

「ママこそ、今、一瞬、停電したけど、エレベーターだいじょうぶだった？」

ナナミが聞くと、ナナミのママが、「それが変なの」と、なぜかひそひそ声になった。

「一瞬、ガクンってなったんだけど、その前に『手すりをもって！』って教えてくれて、そのあと、『ゆれまして、申しわけありません』って、あやまられちゃった。今のエレベーターって、あんなにすごいの？」

ペーターだ。非常事態なのはわかるけど、一番しゃべっちゃいけない当人に話しかけるなんて……。しっかり、あやしまれちゃってる。

それどころか、ナナミのママは、もうひとつの違和感にも気づいていた。

「それに、さっきの放送だけど、無線では流れていないみたいなの」

ん？　それって、どういうことだ？　防災無線なのに、無線で流れてないって……。

ナナミもふしぎに思ったらしく、首をかしげている。

「でも、ママ、なん回もくりかえしてたよ」

「ところが、うちの防災放送の聞けるラジオでは、放送してないの。屋上のスピーカーから流れているだけみたい」

それって……！

ツクルはすぐにピンときた。

改造ボットだ！

屋上の防災無線のスピーカーとエレベーター。このマンションには、改造ボットがふたりもいたんだ。

しゃべったらバレちゃうのに……。

それなのに、ペーターはナナミのママを守ったし、屋上の改造ボットは、みんなのために大声で叫んでくれたんだ。

「……ツクル？」

ナナミとナナミのママが、ぎょっとした顔をして、ツクルを見た。

ツクルは泣いていた。

外の大雨にも負けないくらい、大つぶの涙がぽたぽたと床に落ちた。

改造ボットのひみつを探るうちに知ったんだ。コーディーはこの町がよくなるように改造ボットを作っているってことを……。

エレベーターのペーターは、スーツ男から守ってくれた。

押しボタン式信号機のゴートンは、トミーの命を救ってくれた。

ＡＴＭのトムは、おばあさんがふりこめ詐欺にあうのを防いでくれた。

ほかにも、この町のどこかで、今この瞬間も改造ボットたちが見守ってくれているんだ。

たとえ、うたがわれても、あやしまれても、改造ボットたちは変わらない。この町のために、この町に住む人たちのために、役に立とうとしてくれている。

「……改造ボットは、この町の平和を守ってるんです」

しぼりだすようにツクルはいった。

「改造ボットってなに？　もしかして、この前、あたしが聞いたエレベーターの声って、改造ボットの声？　屋上のスピーカーもそうなの？」

ナナミが早口でまくしたてたけれど、ツクルの耳には半分もとどかなかった。

いいたいけれど、いえない。

改造ボットと約束したんだ。

ツクルは、あふれてくる思いをはきだすように、涙を流した。

ナナミのママは、しばらくツクルを見つめていたけれど、「わかったわ」とうなずいて、どこかに電話をかけた。

とぎれとぎれに話が聞こえてくる。

「……お願いしたＡＴＭの調査だけど、私の勘ちがいだったみたい。そう……」

ナナミのママは、「手配してもらったのに、ごめんなさいね」といって、電話を切った。

「どうして？」

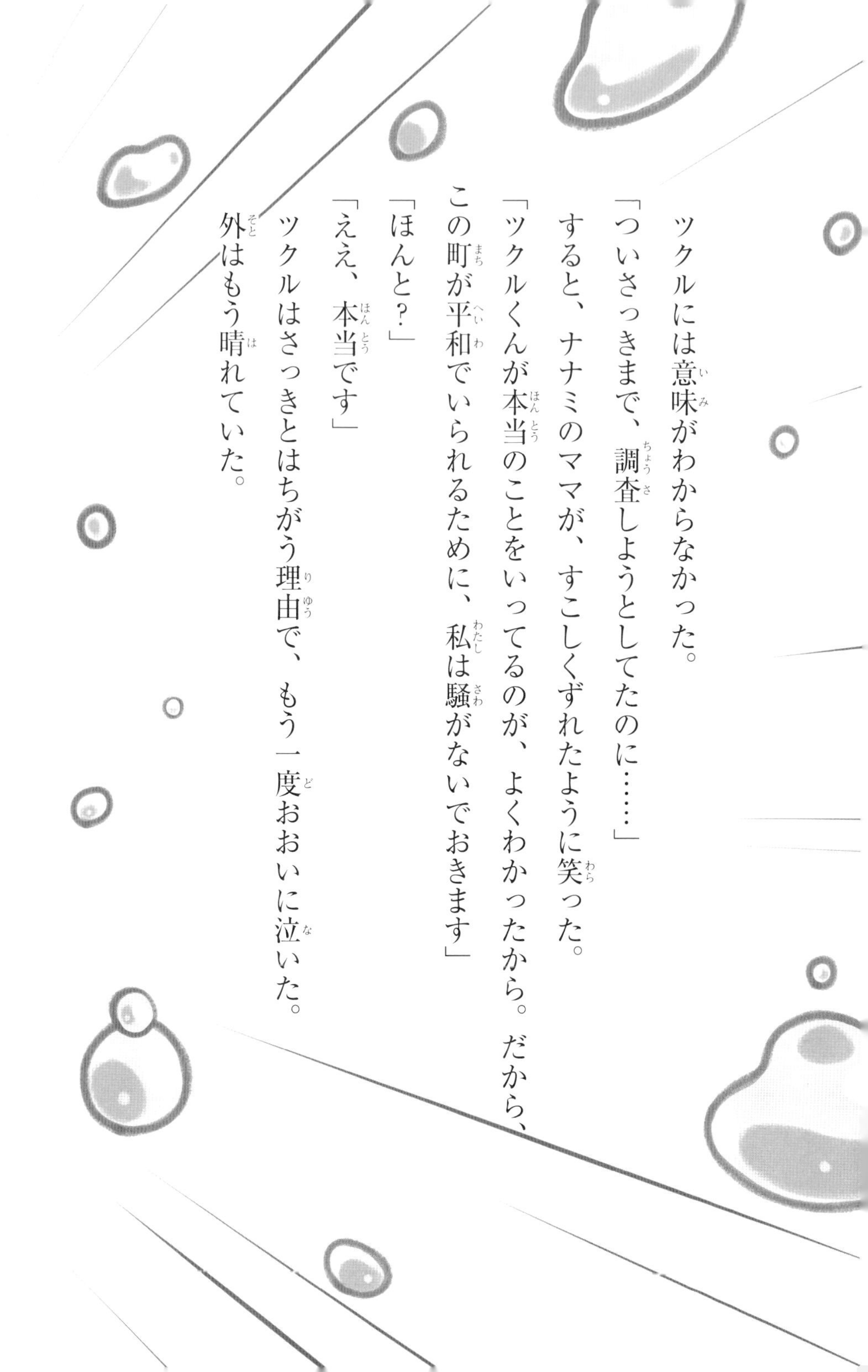

ツクルには意味がわからなかった。

「ついさっきまで、調査しようとしてたのに……」

すると、ナナミのママが、すこしくずれたように笑った。

「ツクルくんが本当のことをいってるのが、よくわかったから。だから、この町が平和でいられるために、私は騒がないでおきます」

「ほんと？」

「ええ、本当です」

ツクルはさっきとはちがう理由で、もう一度おおいに泣いた。

外はもう晴れていた。

ENJOY

こわれかけのチョピー

ツクルとトミーとナナミの話

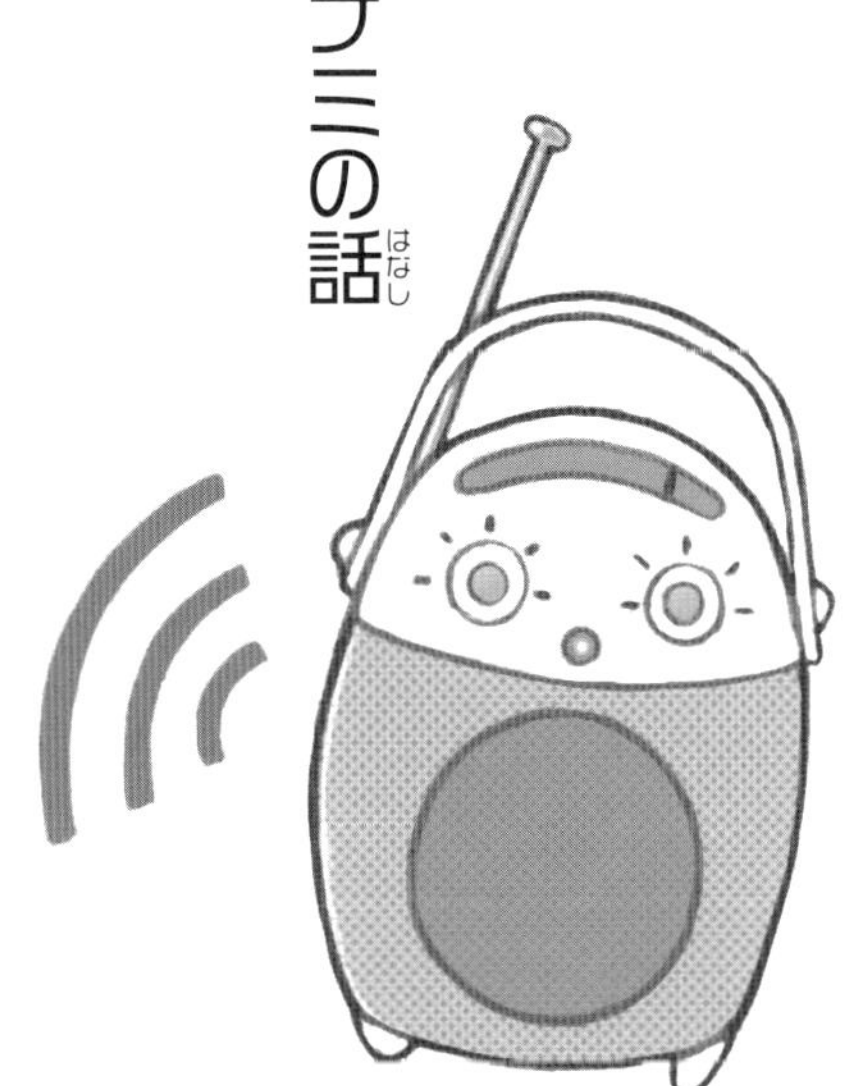

「おい、ツクル。おれさまが来てやったぞ！」

ドアを開けるなり、トミーがいきおいよく上がりこんできた。

やかましいなあ。クツくらい、きちんとぬいでよ。まったく。人の気も知らないで……。

「そんなことより、大変だったんだからね」

「へ？」

きょとんとするトミーに、ツクルは改造ボットの存在がバレかけたことの一部始終を話して聞かせた。

「なるほど。そんなことがあったのかあ」

トミーが、「ふう」と大きく息をはいた。

「よかったな。ナナミの母ちゃん、見のがしてくれて」

「うん。あぶないところだったよ」

ツクルは、ぬるくなって炭酸のぬけたコーラを、こくっとひとくち飲んだ。しゃべりすぎてかわいたのどが、気持ちよくうるおった。

でも、これでぜんぶ解決ってわけでもない。やっぱり大人に見つかると、いろいろめんどうだってことがよくわかった。

これからは、もっと用心しなくちゃ、ってコーディーも改造ボットたちも慎重になるだろう。

「ま、しかたないさ。それより、おれ、いいこと思いだしたんだけど、知りたいか？」

「改造ボットの情報？」

「当たり前だろ」

「まさか、ＡＴＭの話じゃないよね？」

「そんなわけないだろ。おれだけの新情報だ」

うーん。どうしようかなあ……。

トミーの情報源だった改造ボットのゴートンとも、すでにツクルは友だちだ。今となっては、ツクルのほうが改造ボットの情報をもっている。

そもそも、トミーは、改造ボットを作っているなぞのエンジニアの名前が、〝コーディー〟ってことすら知らないはずだ。

でも、もし新情報だったら……。

「じゃあ、教えてもらうよ。いくら？」

「ポテチひと袋だ」

「ええっ、なにそれ！　高いよ。高すぎるよ」

しぶるツクルに、トミーは、「じゃあ、情報を聞いてからでもいいぞ」

と胸をはった。

本当に？　これは、すごく自信のある情報なのかもしれない。ツクルが姿勢を正すと、トミーが話しはじめた。

「ほら、おれ、この前、ゴートンにたのまれて、黒いボストンバッグの男を尾行したろ？」

「うん、それが絶滅危惧種のカメレオンを密輸した犯人だったんだよね」

あの事件では、ツクルの作ったクルミのGPSが、犯人逮捕に一役買った。

でも、最初に黒いボストンバッグ男に気づいたのは、押しボタン式信号機のゴートンとエレベーターのペーターだった。

ナナミのママにもいったけど、改造ボットたちは、この町を見守ってくれているんだ。

「そうそう。それで、おれ、尾行の途中で見失って、だれかに教えてもらっただろ?」

「そのとき通りかかった軽バンでしょ。それが、改造ボットだったんだよね」

mamazon
GARBAGE
アイデア
ポテチ

じつはその軽バンがコーディーの車だと、ツクルは知ってる。あのあと、町じゅうをさがし回っても、どこにも見つからなかったけどね。

「それなんだけどさ」

と、いったんトミーは言葉を切って、ないしょ話をするように小声になった。

「そのとき、もうひとつ女の人の声がしたような気がするんだ」

ん？　それは初耳だ。

「でも、だれもいなかったんだよね？」

「ああ。だから、もしかしてって思ったんだ。意味、わかるか？」

ツクルは答える前から、体がぞくぞくっとした。

「それって、改造ボットが、ほかにもいたんじゃないかってこと？」

トミーがうなずいた。

「行こう！　今すぐ！」

トミー、お手柄だよ。ポテチひと袋も、考えておくよ！


「このあたりだ」

トミーが、犯人を見失った商店街の裏まで案内してくれた。

たしかに、人通りはすくない。というか、ほとんどないね。

「おーい。改造ボット、いるかー？」

トミーが呼びかけたけど、返事はなかった。きっと、大人に見つからないように、おとなしくしてるんだろう。

「改造ボットの目印のさかさまシールをさがすしかないよ」

インターホン、エアコンの室外機、街灯、看板……。ふたりは、そこらじゅうの、電気で動くキカイを見て回った。

「……ないね」

「大雨にぬれないように、家の中に入れられてるんじゃないか？」

そうだとしたら、さがしようがないよ。困ったな。

「ん？　あれ……は？」

ふと、ツクルがアパートのゴミ置場のすみに、銀色の棒のついたピンク色のプラスチックの箱を見つけた。電池で動くキカイだ。ドキドキしながら、うらを見る。

あった。さかさまシールだ！

「やったな、ツクル！」

「うん。ポータブルラジオみたい。動くといいんだけど……」

電源スイッチを入れてみたけれど、うんともすんともいわない。新しい電池を入れてみたけど、やっぱりだめだ。

「よく電池なんてもってたな」

トミーがあきれたけど、ツクルは、「常識でしょ」ととりあわない。

リュックの中には、ドライバー、ニッパ、ペンチ、ボンド……など、ツクルが必要と思うたいていのものが入っていた。

トミーは申しわけなさそうに、「こわれてるのか？　おれがもっと早く気づけばよかったんだけど……」と、肩を落とした。

ところが、ツクルの顔がかがやいている。

「ねえ！　この改造ボット、分解して、修理してみようか！」

「えっ、おまえ、そんなことできるのか？」

トミーはおどろいていたけれど、ツクルはちょっぴり自信があった。

それに、コーディーの改造を、実際に見られるなんて最高だよ。

「さすがに道具と場所が必要だね。ぼくの部屋にもって帰って、中を開けてみようよ！」


部屋にもどると、ツクルはドライバーで、ていねいに四すみのネジをはずした。

「なにがでてくるかな？」

パカッとかんたんにふたが開いた。パッと見たところとくに変わった感じもない、ふつうの緑色の基板がでてきた。

水が入ったところがショートして、部品もパターンも焼けちゃってる。電池ホルダーからのびる赤黒のリード線もとりかえなきゃだめっぽい。あと、大きくクラックが入った部品がひとつ。

「どうだ？　直りそうか」

トミーは基板を初めて見るらしい。じろじろ見られるのは、ちょっぴり緊張するね。

「んー、ちょっとまってね。今、調べてるから……」

ツクルは金属ホルダーつきのルーペで、ひとつひとつ部品を確認していった。

もっといろいろ改造してあると思ったんだけどなあ。

意外だった。改造ボットは自分の意思で話ができるし、仲間どうしで通信もできるようにバージョンアップされてる。それなのに、改造のあとが見当たらないなんて……。

と思ったら、ある部品に目がとまった。

「あれっ、このマイコン、なんか変だよ！」

ツクルはルーペを近づけてのぞきこんだ。

「おい、マイコンってなんだよ？」

トミーがすねたように聞いた。きっと、自分がわからないのが、くやしいんだ。

「そのキカイを制御する部品……。まあ、脳みそみたいなもんだよ」

「……なるほど、脳みそか」

拡大して見るとよくわかる。マイコンの上に、もう一個、別のマイコンがのって、二階建てになってる。

きっと、上にのってるほうが、コーディーのマイコンだ。五本ほどのピンが下のマイコンに半田付けされている。

それに、よくよく見ると、データ通信用のピンの先にも、小さなセンサがついていた。マイコンが脳みそだとしたら、このセンサはきっと目とか耳とかの役割をしているんだろう。

「すごいよ。しゃべるキカイのひみつを見ちゃった」

ラッキーなことに、コーディーの部品たちは無事だった。こわれたのはふつうの部品ばかりで、ツクルにもなんとかなる。

ツクルは、足もとに置いてあるジャンク箱から、古い基板を取りだした。使えそうな部品をはずして、こわれた部品と交換するんだ。基板をクリーニングして、部品を交換して、切れたパターンをリード線でつなぐ。

「直ったような気がする」

ツクルはひと息つきながら、半田ごてを台にもどした。そして、新しい電池を入れる。

「電源を入れるよ」

ツクルがいうと、トミーがごくりとのどをならした。

カチッ。

スイッチの小気味いい音がして、赤いＬＥＤが光った。

やった。電源が入ったみたい！

音はなるかな。お願い、なって！

すると、ラジオのスピーカーから、軽快な女の人の声が流れてきた。

「さあ、はじまりましたわよ。ラジオのお時間。お相手は、あなたのお耳の恋人、チヨピーでございます……ってあれ？　ここ、どこ？　あなたたち、だれ？」

その声を聞いて、ツクルとトミーは、顔を見合わせた。

「やったー！　直ったー！」

ツクルが叫ぶと、トミーがバンザイをした。

ラジオの声の人が、知らない場所にとまどってる。こんなの絶対に放送しているラジオ番組じゃない。ラジオ自体がしゃべってるんだ。

「ぼくが改造ボットを直したんだ！」

ツクルが満足そうにもう一度いった。

「なに、なに？　わたし、こわれてたの？　あなたたちが直してくれたって、ほんと？」

「おう。このトミーさまが商店街の裏にあることに気づいて、ツクルが直したんだ。感謝しろよ」

興奮しているのか、いつも以上にトミーが自慢げだ。

「トミー？　あなた、見覚えがあるわね」

やっぱりそうだ。トミーに道を教えてあげたのを覚えてるんだ。

「ぼくは、ツクルです。あなたはしゃべるキカイの改造ボットですね」

ツクルがあいさつをすると、「あら、あなたがツクルくん……」とラジオから声がもれた。

「目がとってもキラキラしてるのね。初めまして。わたしはチヨピー。助けてくれてありがとう」

チヨピーか。かわいい名前だね。

「ねえ、チヨピーは、どうしてゴミ置場にいたの？」

ツクルがたずねると、チヨピーの声がしずんだ。

「……わたしね」と、すこしして返事がある。

「恋人に捨てられちゃったの……」

「えっ！」

ツクルもトミーもあまりにびっくりして、声をかけられずにいた。

ところが、チヨピーは、「くすっ」と笑うと、カラッとした明るい声で話しだした。

「うそうそ、冗談よ。前のもち主はやんちゃな子でね。わたしがリュックから落っこちたのに気づかずに走っていっちゃったの。さがしにきてくれるかなあ……と思ってまってたんだけど、こなかったわねー」

チヨピーを置いてくなんて、ゆるせないね。

でも、チヨピーはどう思ってるんだろう。

「帰りたい？」

ツクルが聞いた。

「ううん。切りかえの早い子だったから、きっと、もう新しいラジオをもってるわよ」

「それじゃあ、チヨピー……」

ツクルは、たった今、心に浮かんだことを声にした。

「うちのラジオにならない？」

ひと息でいい切ったとたん、ツクルの心臓がありえない速度でドコドコドコドコなりだした。改造ボットとくらせるかもしれないんだ。こんなすてきなことはないよ！

「あらあら、わたしのこと好きになっちゃった？　うれしいけど、どうしよっかなー」

あんなにペラペラしゃべっていたチヨピーが、静かになった。

考えてくれてるのかな。

どうかな。

しばらく沈黙があって、ようやくもらえた返事は、「わたしはひとつ前のもち主のところに帰りたいな」だった。

がっかり。改造ボットを自分の家におむかえする夢は、あっさり消えちゃった。

「ツクル、しゃあねえよ。あきらめろ」

そういって、トミーが、ツクルの肩をぽんとたたいた。

「うん。チヨピー、ひとつ前のもち主だった人の家はわかる？　ぼく、送るよ」

ツクルはつとめて明るくいった。こういうときの切りかえは早いほうなんだ。

「住所を知らないの。どうしたらいい？」

「なにか目印はおぼえてる？」

「それなら、わかるかも……」

チヨピーは記憶をたぐりよせるように、ひとつひとつ答えてくれた。

「窓からは緑の木々がもさもさ見えてて、目にやさしいところだった気がする」

緑が多いってことは、駅からはなれたほうかな？　たしか、川の近くに林があったはず。

ところが、ツクルの予想は、あっさり否定された。

「あとね、わりと、ひんぱんに電車が通ってたかな。わたし、けっこう電車の音が好きで、よく聞いてたかも」

「線路ぞい？」

「たぶんね。あと、工場かなにかのえんとつが近くにあったはず。よく煙がもくもくって上がってたから」

工場？　えんとつ？　煙？

おかしいな。このあたりは住宅地だから、家とマンションばっかりのはず。工場から煙がもくもくしてたら、近所の人が大気汚染だとかいって、うるさそうだけど……。

「えんとつって、サンタが入ってくるとこだよな？」

トミーのつぶやき声がした。なるほど。そうか。えんとつは工場だけじゃないんだ。

でも、まきストーブやだんろのある家はえんとつがあるけど、たぶんチヨピーはもっと大きなえんとつのことをいってるんじゃないかな。

そう思ったとき、ツクルの頭の中がぐるんと回転した。

「わかった！　お風呂屋さんだ！」

お風呂屋さんには、大きなえんとつがあるし、煙がでてるからって、
大気汚染とかいわれない。

たしか、町内に一軒だけお風呂屋さんがあったはず。

ツクルは、タブレットを開いて、地図アプリで確認した。

「これだ！」

ほら、すぐそばを線路が通っている。電車がひんぱんに通るはずだよ。

それにお風呂屋さんは県道ぞいにある。

ということは……。

「もしかして、車もよく通ってたんじゃない？」

「あら、よく知ってるじゃない。朝と夕方がとくに多くて、夜中はとき

どきうるさい車が通るの」

やっぱり。その付近ならよく知ってる。前に改造ボットの電話ボックスをさがしたり、電動自転車を追いかけたりしたあたりだ。

あのときは線路をこえたけど、お風呂屋さんが近いということは、きっと線路をわたらずに手前の道を北に行くんだろう。

あとは、窓から緑が見える場所か……。

「ここは？」

ツクルの指さした場所を見て、トミーがにっこり笑った。

線路ぞいの一角が林のようになっていて、その林にうずもれるように、一軒の家が建っていた。玄関の方角だけ路地に面していて、視界が開けている。その先に、お風呂屋さんのえんとつがそびえていた。

まちがいない。ここが、チヨピーのひとつ前のもち主の家だ。

「じゃあ、チヨピー。さみしいけど送っていくよ」

マンションのエレベーター乗り場につくと、ボタンをおす前から、勝手にとびらが開いた。

ありがとう。ペーター。

ツクルが心の中でお礼をいいながら乗りこむと、ペーターが、「ツクル、ちょっと寄り道していくぞ」といって、上の階に上がりはじめた。

あれっ？　ペーター、しゃべった？

「なんだ、なんだ？　こいつ改造ボットなのか？　ツクル、だまってたな！」

へへへ。口止めされてたからね。トミーもゴートンのこと内緒にしてたんだから、おあいこだよ。

それにしても、どこに寄り道するつもりなんだろう。

すると、最上階の七階でとびらが開いた。

「なんで、ツクルとトミーがいるの？」

ナナミが目を丸くして立っていた。

「いや、ペーターが勝手に連れてきたんだよ」

ツクルが答えると、ちょっぴり騒ぎになった。

「こいつペーターっていうのか！」

「なになに、ツクルは名前も知ってたの？」

「……いや、あの。だから、だれにもいわない約束だったんだよ」

しまった。でも、そもそもペーターが話しだしたから……。

「あらあら、あなたたち、お友だち？　にぎやかでいいわねー」

チヨピーがカラカラと笑うと、ナナミが、「ええーっ！　ラジオまでしゃべったー！」とおどろいた。

「なんか、最近、改造ボットたちがツクルの近くに集結してきてるみたいだな」

トミーのいう通りだ。ほんとに、おかしな気分だよ。すこし前までは、必死にさがしても、空ぶりばかりだったのに……。

「急に話しだしたりして、どうしたのさ。余計なことをいったら、しゃべれないキカイに逆もどりだって、いってたのに……」

すると、ペーターが改まった感じでいった。

「おれたちのこと必死に守ろうとしてくれて、ありがとな。あれだけ大声だしたのに、ホーンのことがぜんぜん騒がれていないのは、ツクルのおかげだ」

「……ホーンって、防災無線の改造ボットの名前？」

「ああ。あいつ、バレたら廃棄処分も覚悟してたみたいだ」

ツクルたちは、ショックで声もでなかった。

「ホーンだけじゃない。おれたち改造ボットはみんなツクルたちに感謝してる。ありがとうな」

「わたしからも、ほんとにありがとね！」

みんなが感謝してくれている。

涙がでるほどうれしかった。

でも、それはさかさまだよ。

いつも町を見守ってくれて、感謝しているのはぼくらのほうだよ。

「ツクルたち三人は、今では改造ボットにとって特別な存在なんだ」

「そうそう」

チヨピーも、あいづちを打つ。

ツクルは、トミーとナナミと顔を合わせて、おたがい照れたように笑った。

改造ボットと友だちになれただけでもうれしかったのに、その上、特別な存在になれるなんて夢みたいだ。

「三人で行っておいで。チヨピーをよろしくな」

ペーターが送りだしてくれた。

理由はよくわからなかったけど、三人で行けってことなのかな?


「ねえ、チヨピーのお家って、どんな家だったの?」

ナナミが聞いた。なにか用事があったはずなのに、おもしろそうだからってついてきたんだ。

「いつも、わいわい楽しくて、みんなおしゃべり大好きだった。もちろん、わたしが一番おしゃべりだったけどねー」

「そりゃ、そうだろうなあ」

めずらしいな。トミーが口で負けてる。

ゆ

こんなに堂々と改造ボットがしゃべっているのに、ラジオだからか、すれちがう人もおかしいことに気がつかないみたい。

「ああ、早く帰りたいな」

楽しいおしゃべりが、ずっと続いて、あっという間に、お風呂屋さんに到着した。

「あれよー！　あれ、あれ、あのえんとつよ！」

チヨピーが、ますますうかれている。

よっぽど、家に帰るのがうれしいんだろうな。

「もうすぐのはずだよ」

タブレットをもってるツクルが、先頭に立って道案内する。

「せっかく、チヨピーと友だちになれたのに、もうお別れなんて、さみしいなあ」

「あら、ナナミもわたしのこと、好きになっちゃった？」


おかしいなあ……。

盛り上がってるところ悪いけど、ちょっぴりまずいことになってる気がする。線路ぞいの林に行きたいのに、どういうわけか、道が線路からはなれていくんだ。地図アプリの情報が古いのかもしれない。

「ねえ、ツクル。なんだか遠ざかってない？」

さすが、ナナミ。勘がいいね。

近くまで来ているのに、道がわからなくなっちゃった。

「えへへ、迷ったかも……」

ツクルが苦笑いをした。

どれどれ？　とトミーがタブレットをのぞきこんだけど、「この道じゃない？」と正解の道を見つけたのはナナミだった。

もっと北まで行ってから、細い道を迂回してもどってくれば、目的の家につきそうだ。

なんで、こんなわかりにくい道があるんだろう。まるで、だれにも見つからないように、わざわざ作ったみたいだ。

「チヨピー、もうちょっとでつくからね」

「ありがとう、ツクル。ひさしぶりのお家だから、ほんとドキドキする」

車一台がやっと通れるほどの道だ。林の間を行くと、木々のすき間から、目的の家がだんだん見えてきた。

「あれよ！　あれ、あれ！」

チヨピーがはしゃいでいる。木々にかこまれて、まるでひみつのかくれ家のような家だった。

「あっ……」

ツクルは、家の前で思わず立ち止まった。

ナナミが、「どうしたの？」と声をかけたけど、ツクルの肩がふるえているのを見て、口をつぐんだ。

チヨピーに、ひとつ前のもち主っていわれても、なにも思わなかった。もしかしてって、考えてもよかったのに……。なんで気づかなかったんだろう。

「町じゅうさがしたんだ。まさか、こんなところにあるなんて……」

ツクルは、自分の見ているものが信じられなかった。その家の前の駐車場に、ずっとさがしていた車がとまっていたんだ。

「おいっ、ツクル、あの軽バンだ。あれが、おれに犯人の行き先を教えてくれた車だ」

トミーがつばを飛ばして叫んだ。

知ってる。見るの二度目だから。

「コーディーの車だよ」

ツクルが、感動にふるえながらいった。

トミーも、ナナミも、コーディーという名前は初めて聞くはず。でも、すべてわかったみたい。信じられない、といったようすで、言葉を失っている。

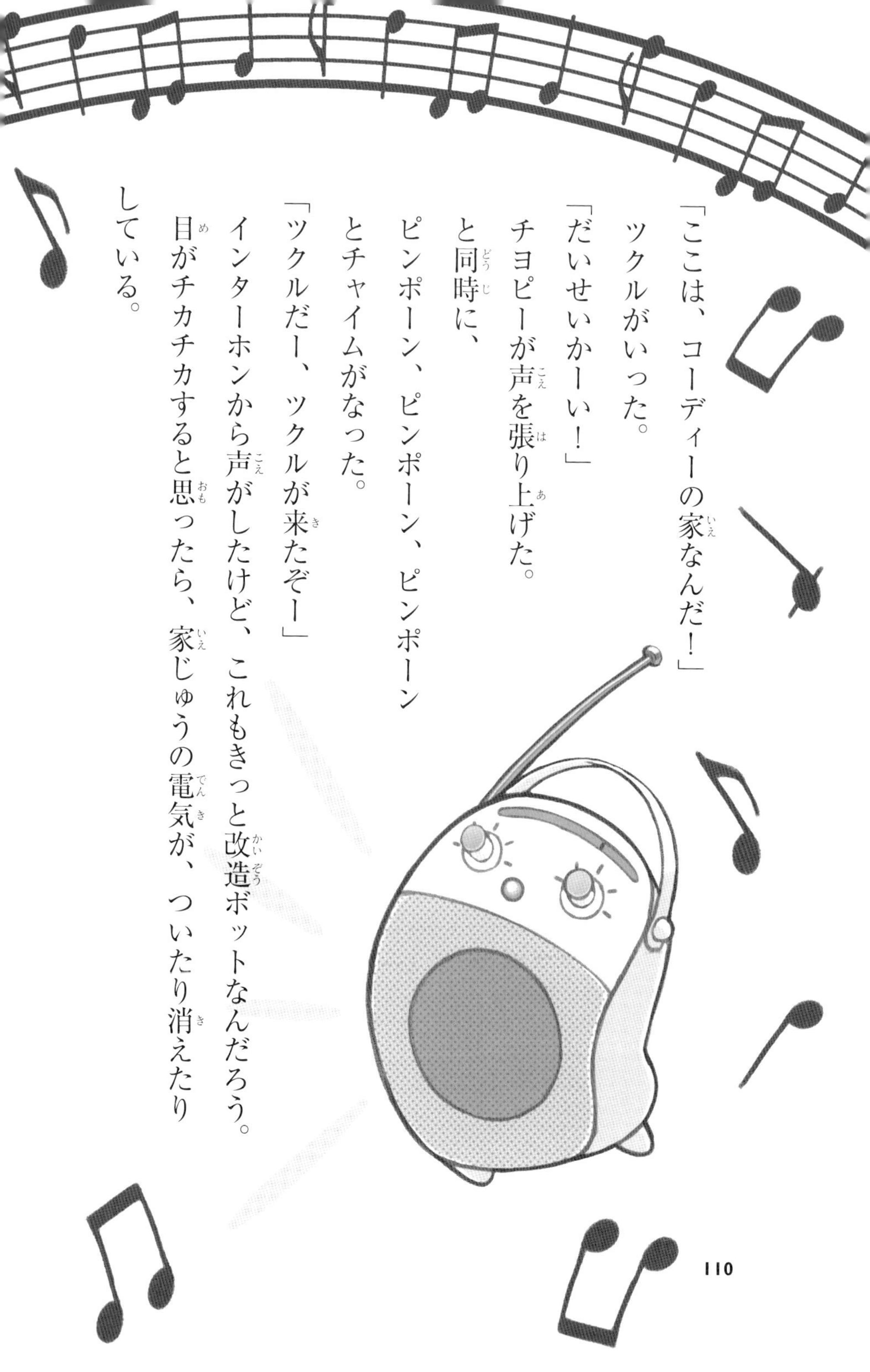

「ここは、コーディーの家なんだ！」

ツクルがいった。

「だいせいかーい！」

チヨピーが声を張り上げた。

と同時に、
ピンポーン、ピンポーン、ピンポーン
とチャイムがなった。

「ツクルだー、ツクルが来たぞー」

インターホンから声がしたけど、これもきっと改造ボットなんだろう。

目がチカチカすると思ったら、家じゅうの電気が、ついたり消えたりしている。

家の中からは、大音量でクラシック音楽が聞こえてきた。

「ああ、ぼくが思っていたとおりの家だよ！」

ツクルが目の涙をぬぐった。

ガチャ。

ゆっくりとドアが開いた。

玄関は自動ドアじゃないんだね。

そこには、ずっとさがしていた人が立っていた。

「初めまして！　会いたかったよ。コーディー」

004 エピローグ

「ようこそ。わたしのラボへ」

コーディーが、ドアを大きく開けて、ツクルたちをむかえてくれた。

どんな人なんだろう、って、これまでなんども想像してきた。けれど、実際に目の前にあらわれたコーディーは、思いえがいていたイメージ以上に、やさしそうで、いっしょにいてホッとする感じの人だった。

ツクルが、おしゃれな木の壁の家と、その前に立つコーディーに見とれていると、「さあ、入って！」と、せかされた。

玄関は吹きぬけになっていて、天井がすごく高い。窓も大きくて、開

放感がばつぐんだ。

一階のほとんどは作業スペースになっていた。コーディーは、エンジニアなのに、木が好きなのかな？　光沢のある板張りの床が、なんとなく体育館みたい。中央に置かれた大きな作業台の上には、分解されたキカイの部品が整然とならべられている。

「ここで、改造ボットを作っているんですか？」

ツクルがいきごんでたずねた。

「そうだよ。みんな、ここで生まれたんだ」

「改造ボットを作るのが仕事なんですか？」

ナナミが聞くと、コーディーは、「うーんと……」と、ちょっぴり困ったような顔をした。

すると、コーディーのかわりに、壁にかけてある鳩時計が軽快にしゃべりはじめた。

「そうさ。いつだって、こいつはオレたち改造ボットを、スペシャルな状態にメンテナンスしてくれるのさ！」

とつぜん話しかけられて、ナナミがびっくりして後ずさった。

すると、話しだすタイミングをまっていたかのように、いたるところからツクルたち三人への歓迎の言葉が飛びかった。電話も、オーディオも、工具も、照明も、掃除機やエアコンにいたるまで、大さわぎだ。

やっぱり、コーディーは、家じゅうのキカイを改造ボットにしているみたい。さっそく、チヨピーも、おしゃべりに花をさかせている。

「すげえな」

トミーも目を丸くしてまわりを見わたしている。

「二階がリビングなんだ。どうぞ」

コーディーが、先に立って案内してくれた。

ロッジ風の木の階段を上がると、二階は、広々としたリビングとキッチンで、窓のむこうに林の木々が見える。町中のはずなのに、まるで山小屋に来たような気分だ。

コーヒーのいいにおいがする。

「お湯がわいたぞ！」

「アメリカンができましたよぉ～」

キッチンから声がした。きっと、電気ケトルとコーヒーメーカーの改造ボットだ。

いいなあ。改造ボットがいれたコーヒーって、どんな味なんだろう。

「ツクル、おまえ、コーヒーなんて飲めないだろ？」

ツクルの頭の中を見すかしたようにトミーがにやりとした。

「うるさいな。ほっといてよ」

むくれるツクルを見て、トミーとナナミが笑った。

「ここは、ちょっぴりうるさいね。屋上にでようか」

コーディーがいうと、リビングじゅうの改造ボットたちからブーイングがおこった。

ツクルたちは、にげるようにして、屋上への階段を上がる。

屋上にでたとたん、まわりの木の葉っぱをざわざわゆらしながら、さわやかな風がぬけていった。森の香りがする。

「うわあ。気持ちいい！」

屋上よりも高い木々にかこまれて、森林浴をしているみたい。

「屋上のライトだけは、改造していないんだ」

ほんとだ。話しかけてこない。

ちょうど、しずかなピアノ曲がかすかに聞こえてきたのは、オーディオの改造ボットが気を利かせてバックミュージックをかけてくれたんだろう。

丸テーブルをかこむように、ツクルたちがいすにこしかけると、コーディーがアップルパイを小皿にとりわけてくれた。

「これは、マダムオーブンの自信作なんだよ」

「それって、もしかしてオーブンの改造ボットですか？」

ナナミの反応は速い。

コーディーは、答えの代わりに、にっこりほほえむと、「どうぞ」と切りわけたアップルパイをわたしてくれた。

ツクルたちは、しばらくアップルパイを夢中で食べ、あまい紅茶を飲んだ。

「初めて作った改造ボットはなんだったんですか?」

ナナミが聞くと、「なんだと思う?」と、逆に質問が返ってきた。

「なんだろう……車とか?」

「いや、目覚まし時計じゃないか? 朝、起きるのって大変だろ」

トミーは自信たっぷりに答えると、「ツクルはどう思う?」と、うながした。

「うーんと……たぶん、最初だし、小さいものだと思うけど……」

それから、分解するのがわりとかんたんで、身近にあるもの。それにくわえて、改造ボットの特徴はしゃべることだ。しゃべる必要のあるキカイ……。

そのとき、ツクルの頭の中が、ぐるんと回転した。

「……もしかして、電話？」

おそるおそるいうと、コーディーが目をむいた。

「正解！」

やった。

「なんでわかったのー？」

ナナミが心底びっくりしたふうに叫んだ。

トミーは、「おい、ツクル。おまえ、天才だ」と、はしゃぎながら、肩をバンバンたたいた。

「よくわかったね。わたしは人と話すのがちょっぴり苦手でね。かわりに仕事の電話にでてもらおうと考えたのさ」

「だから、改造ボットは、おしゃべりが上手なんだ！」

ナナミの声が空にひびきわたった。

「あの……」

と、ツクルは切りだした。

聞きたいことはたくさんあるんだ。

「どうやって言語を学習させたんですか？　あのマイコンはどうやって作ったんですか？　どこかで売ってるんですか？」

「ずいぶん、たくさんの質問だね……」

コーディーは、しばらく目を閉じて、考えているようだったけど、

「改造ボットの技術については、今は、まだひみつ、ということにしておこうか」

といって、ニコッとほほえんだ。

残念。そうだよね。そんなにかんたんに教えてくれるはずがないよね。

でも、『今は』ってことは、いつかは教えてくれるってことかな？

じゃあ、この質問はどうだろう。

「さかさまシールって、どうしてさかさまなの？」

「あれかい？」

予想外の質問だったようだ。コーディーの声がうらがえった。

「もともと、わたしはキカイの手入れをしたり、メンテナンスをするのが仕事なんだけど……」

コーディーは頭をかいた。

「改造ボットになったとたん、立場が逆転しちゃってね。今では、わたしが、改造ボットたちにお世話してもらっているんだよ」

なるほど。コーディーも改造ボットたちに、日々助けられてるんだ。

「だから、さかさま」

といって、コーディーは笑った。

「ほんとだ。さかさま！」

ツクルも笑った。

ふと、今日、一番にいわなきゃいけなかったことを思いだした。

「コーディーだけじゃないよ」

「どういう意味だい？」

ツクルの真剣なようすに、コーディーが姿勢を正した。

「改造ボットは、町の平和を守ってくれてる。町の人みんながお世話になっているんです」

トミーとナナミもうなずいている。

「改造ボットを作ってくれてありがとう！」

作者：**辻 貴司**（つじ　たかし）

1977年生まれ。京都府育ち、神奈川県在住。神奈川大学卒業。日本児童文学学校、創作教室修了。「らんぷ」所属。2016年、『透明犬メイ』で第33回福島正実記念SF童話賞を受賞。『トイレのブリトニー』『よふかし しようかい』（いずれも岩崎書店）、共著に『ひみつの小学生探偵』（Gakken）、『5分ごとにひらく恐怖のとびら百物語5　奇妙のとびら』（文溪堂）などがある。

画家：**TAKA**（たか）

大阪府茨木市在住。2013年「視えるがうつる!? 地霊町ふしぎ探偵団」シリーズ（角川つばさ文庫）にてデビュー。2024年版「中学生の基礎英語レベル2」（NHK出版）、「七不思議神社」シリーズ（あかね書房）、「ゼツメッシュ！」シリーズ（講談社青い鳥文庫）、『疾風ロンド』（実業之日本社ジュニアノベル）等、児童・中高生読み物の装画・挿絵、新聞連載、教材、広告、アプリなど、幅広い媒体で多数のイラストを手掛けている。

ツクルとひみつの改造ボット3

2025年2月28日　第1刷発行

作　辻 貴司
絵　TAKA
発行者　小松崎敬子
発行所　株式会社 岩崎書店
〒112-0014　東京都文京区関口2-3-3　7F
電話　03-6626-5080（営業）　03-6626-5082（編集）
装丁　山田 武
印刷所　三美印刷株式会社
製本所　株式会社若林製本工場

NDC 913　ISBN978-4-265-84057-1
©2025 Takashi Tsuji & Taka
Published by IWASAKI Publishing Co., Ltd.　Printed in Japan

ご意見、ご感想をお寄せ下さい。
E-mail: info@iwasakishoten.co.jp
岩崎書店HP: https://www.iwasakishoten.co.jp
落丁、乱丁本はおとりかえいたします。
本書のコピー、スキャン、デジタル化等の無断複製は著作権法上での例外を除き禁じられています。本書を代行業者等の第三者に依頼してスキャンやデジタル化することは、たとえ個人や家庭内での利用であっても一切認められておりません。朗読や読み聞かせ動画の無断での配信も著作権法で禁じられています。

N
S
歯科医院
だがし
ファミレス
できた亭